著作权合同登记号：图字 18-2023-118

图书在版编目（CIP）数据

物理魔法使马修. 10 /（日）甲本一绘著；集英社官方翻译组译. -- 长沙：湖南文艺出版社，2023.9
ISBN 978-7-5726-1353-1

Ⅰ. ①物… Ⅱ. ①甲… ②集… Ⅲ. ①漫画－连环画－日本－现代 Ⅳ. ①J238.2

中国国家版本馆 CIP 数据核字（2023）第 145068 号

上架建议：畅销·漫画

WULI MOFASHI MAXIU. 10
物理魔法使马修. 10

U0647263

绘 著 者：［日］甲本一
译　　者：集英社官方翻译组
出 版 人：陈新文
责任编辑：匡杨乐
监　　制：邢越超
策划编辑：韩　帅
特约编辑：尹　晶
版权支持：金　哲
营销支持：文刀刀　李美怡
封面设计：梁秋晨
出　　版：湖南文艺出版社
（长沙市雨花区东二环一段 508 号　邮编：410014）
网　　址：www.hnwy.net
印　　刷：北京中科印刷有限公司
经　　销：新华书店
开　　本：740 mm × 980 mm　1/32
字　　数：75 千字
印　　张：6
版　　次：2023 年 9 月第 1 版
印　　次：2023 年 9 月第 1 次印刷
书　　号：ISBN 978-7-5726-1353-1
定　　价：32.00 元

若有质量问题，请致电质量监督电话：010-59096394
团购电话：010-59320018

世界的命运就托付给你了!!

物理魔法使马修 MASHLE

「那就糟了」
的心情。
我很不爽。
如果单看身为魔法使的资质的话，多米纳是我所有孩子中资质最好的……
没有魔力的劣等生物马修·班迪德能跟他过几招呢……
我相信你，
你绝对会取得胜利。

即将坐上『神觉者』宝座的马修与多米纳的最终对决!!

11 现已出版 发售预定!!

⑩马修·班迪德与磁石铠甲（完）

因为你
很强。
多谢夸奖。

我特别特别讨厌
你这种满嘴仁义道德的家伙。
不过啊，
你有这个资格……

瞅准对方
攻击的时机!!

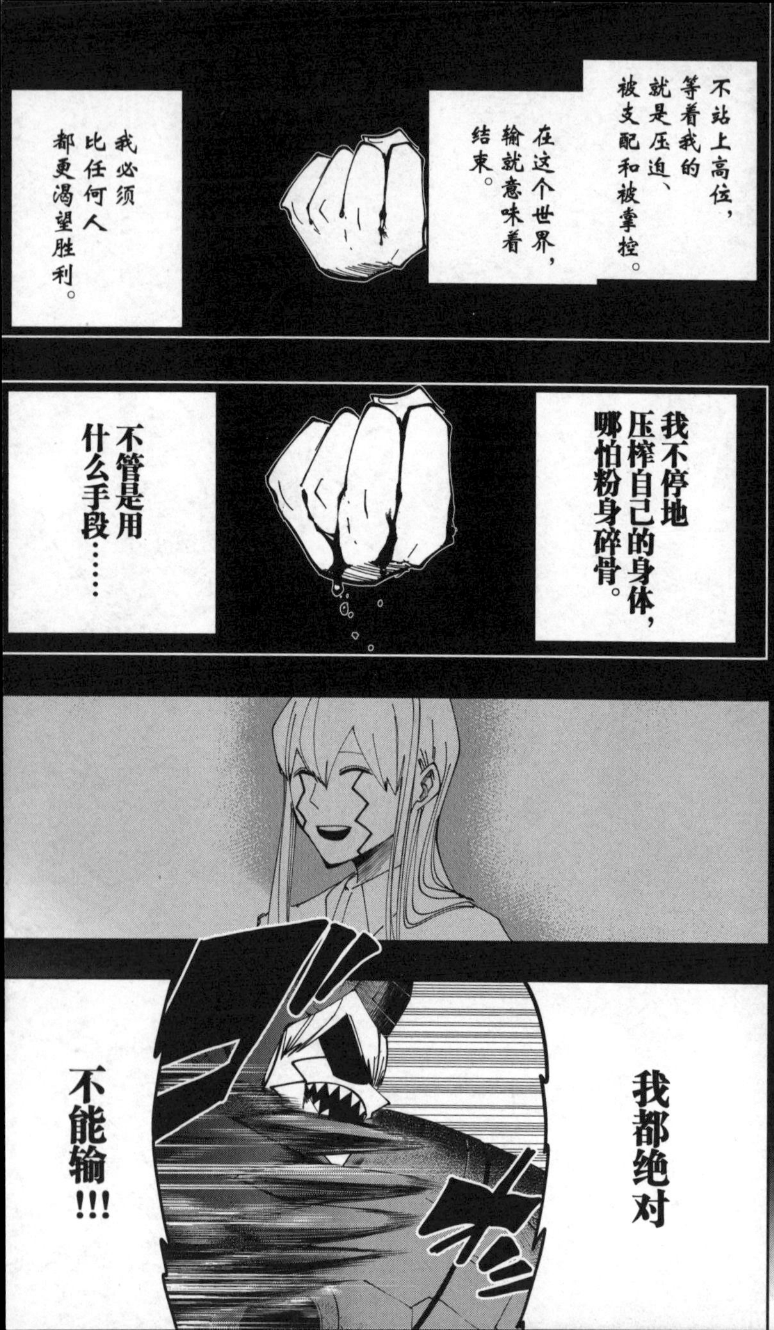
不站上高位，等着我的就是压迫、被支配和被掌控。
在这个世界，输就意味着结束。
我必须比任何人都更渴望胜利。
我不停地压榨自己的身体，哪怕粉身碎骨。
不管是用什么手段……
我都绝对
不能输!!!

之后没多久，哥哥就病倒了。
他越发憔悴，样貌不堪入目，让人不忍心去看。
后来我发现，
哥哥是为了我才故意输掉的。
虽然得知了真相，但出于对父母的恐惧，我没能说出口……
我很弱小。
正因为如此，我才必须不择手段地一直赢下去。

但还没等我那么做，情况就发生了改变。
有段时间，哥哥和我的成绩反过来了，
变成了哥哥去承受我所承受之前的那些惩罚。
后来哥哥说……
我太弱了，才会落得这个下场。
你很强，千万别变成我这样。
带着我的份继续努力吧。

可不管怎么努力，
我都是万年老二，
因为有哥哥在。
无论在哪方面，哥哥都比我优秀。
结果每次受到惩罚的都是我。
随着身体上的伤痕不断增加，我开始痛恨哥哥，
每天都想着怎么把他从第一的宝座上踢下去。
那样我就不会再受罚了。

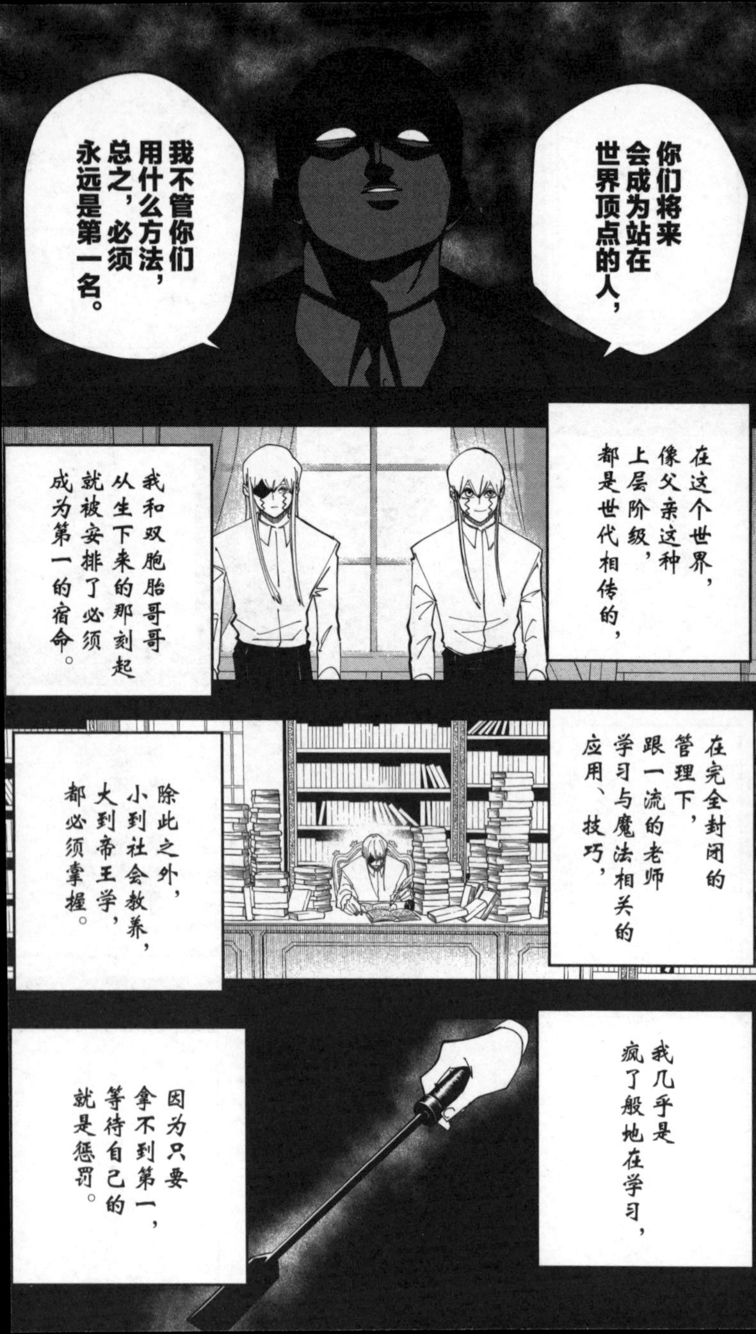
你们将来会成为站在世界顶点的人，
我不管你们用什么方法，总之，必须永远是第一名。
在这个世界，像父亲这种上层阶级，都是世代相传的，
我和双胞胎哥哥从生下来的那刻起就被安排了必须成为第一的宿命。
在完全封闭的管理下，跟一流的老师学习与魔法相关的应用、技巧，
除此之外，小到社会教养，大到帝王学，都必须掌握。
我几乎是疯了般地在学习，
因为只要拿不到第一，等待自己的就是惩罚。

我……
必须获得胜利。
不管
用什么方法，
我都
一定要赢。
一定要。

没用的!!召唤状态下，魔力的释放是完全不同的级别！
这磁石自身的威力也是普通魔法的数倍!!
你的攻击百分之百伤不到我!!
我不会停下拳头，
直到把你打死为止!!

而是强者对弱者的
单方面碾轧!!

?!
这身铠甲会根据对象自身的磁极做出调整，
从而实现自由自在地操控排斥力和吸引力!!
スル
ドカ
也就是说，我不但拥有了必中必杀的攻击力，
还得到了必躲必防的防御力!!
这不是什么战斗，

吸引。

磁石铠甲?!
磁力之神。
你赢不了我！
绝对赢不了!!
弃戮装甲
防御形态。
嘭
嘭

我决不认可!!
决不认可你这种下三烂!!
3条线!!
铁砂把他的身体……
召唤

第91话 马修·班迪德与磁石铠甲
你这人渣……
……

附录⑤

附录漫画（完）

*猛击

你现在……
滴落
流汗了哟。

被这种连魔法都不会用，头脑简单、四肢发达的家伙……
滴
完美抓准挥棒时机……
那个……
！
他是什么时候……
刚刚你说，不流一滴汗就能解决掉我……

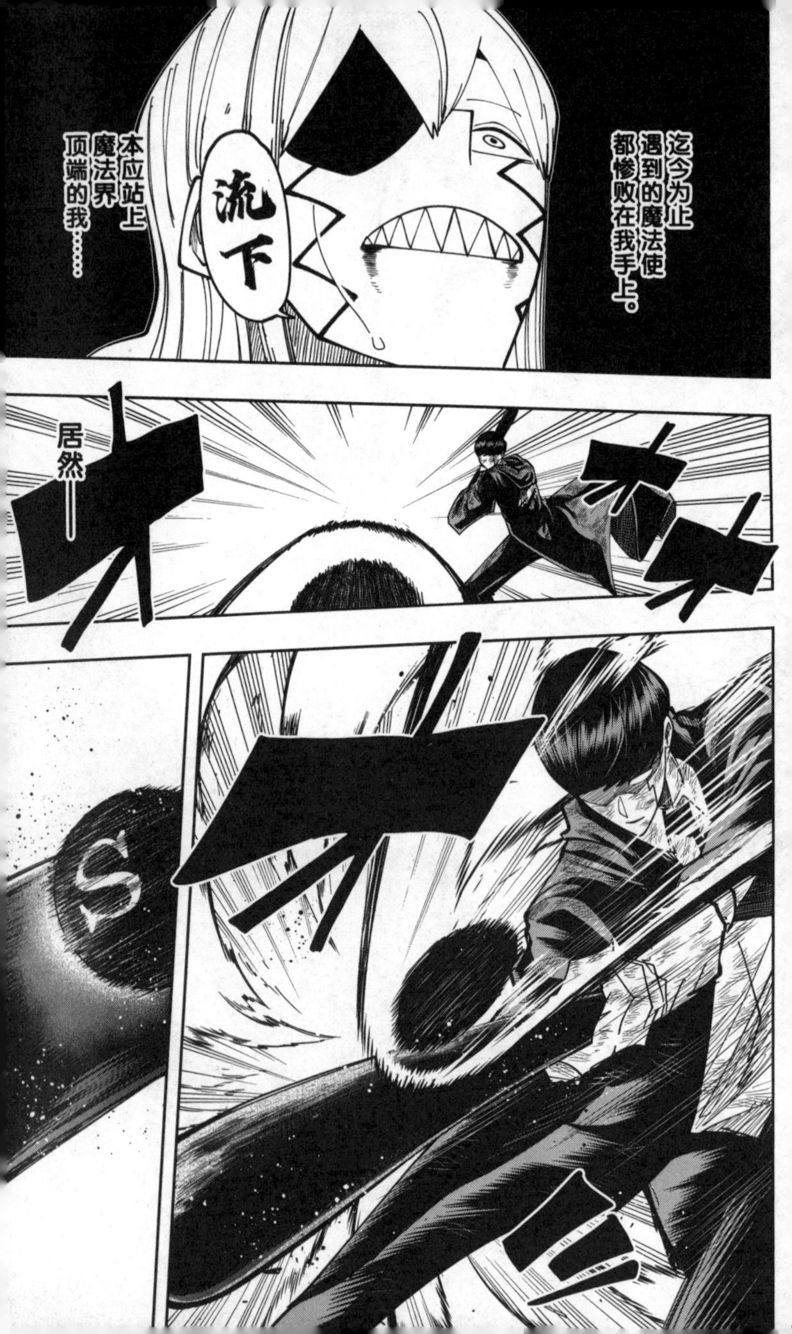
迄今为止
遇到的魔法使
都惨败在我手上。
流下
本应站上
魔法界
顶端的我……
居然——

我可是魔法局局长的儿子……
じわっ……
带着必定会站上高位的宿命来到这个世界上，是真正的精英。
我的人生必须充满胜利，
而我也确实不择手段地将其实现了。
流下
马修的时机越抓越准……

?!
两次都……
打中了?!
发射!!!

只要做好准备动作，
直球很容易打中的。
不过你大概无法想象吧。
啊——?!
不过是运气好打了个擦棒球而已，有什么好得意的。
开什么玩笑……人的命运从生下来那刻起就已经注定了!!
我是上等人，而你是下等人!!

パラ
パラ
パラ
パラ
パラ
……
啊？
这可是时速8000多千米啊……
这样的速度，凭人类的身体，绝不可能反应过来……
这也不能怪你，

哈哈哈哈哈！
这就是你面对我的二阶魔法得出的答案吗?!
要我说，你的脑袋就是个空壳子!!
连想象都不会吗？
这可是时速8000多千米啊，人类怎么可能反应得过来!!
时速8000多千米，
假设电磁炮和我们相距10米，从发射到射中也就0.003秒?!肯定完蛋了啊!!
连反应都来不及……
去死吧!!!

ザッ
ザッ
4号击球手手手手，（自己加回声效果）
!!
グイイ
站到了场上上上上，（自己加回声效果）
?!
用力
是马修·班迪德德德德。（自己加回声效果）

不仅如此，
它现在瞄准的
是你的同伴，马修·班迪德!!
!
这样你就不能躲了。
当然，前提是你真的很在乎朋友!!
让我看看
你们那无聊的友情有多坚固吧!!
バチ
バチ
不行了……时速8000多千米怎么可能躲开!!
就算是马修也……
别管我，你快逃，马……
!

不懂哟……
这不是普通的大炮，而是利用洛伦兹力定律，
通过强大电流的流动制造强大的磁场，给轨道上的弹体施加巨大的推进力，以超高速将炮弹发射出去的魔法。
你解释那么多也没用啊，
我根本听不懂啊。
它射出去的炮弹速度是7马赫，
相当于8000多千米每小时！
时速8000多?!
它不费吹灰之力就能毁灭一个国家……
即便对手是『神觉者』，也能与之一战。

欸？
现在才听到声音？
这是何等强大的威力啊！！

发射！

恒量电磁炮。
瞄准。
*爆破

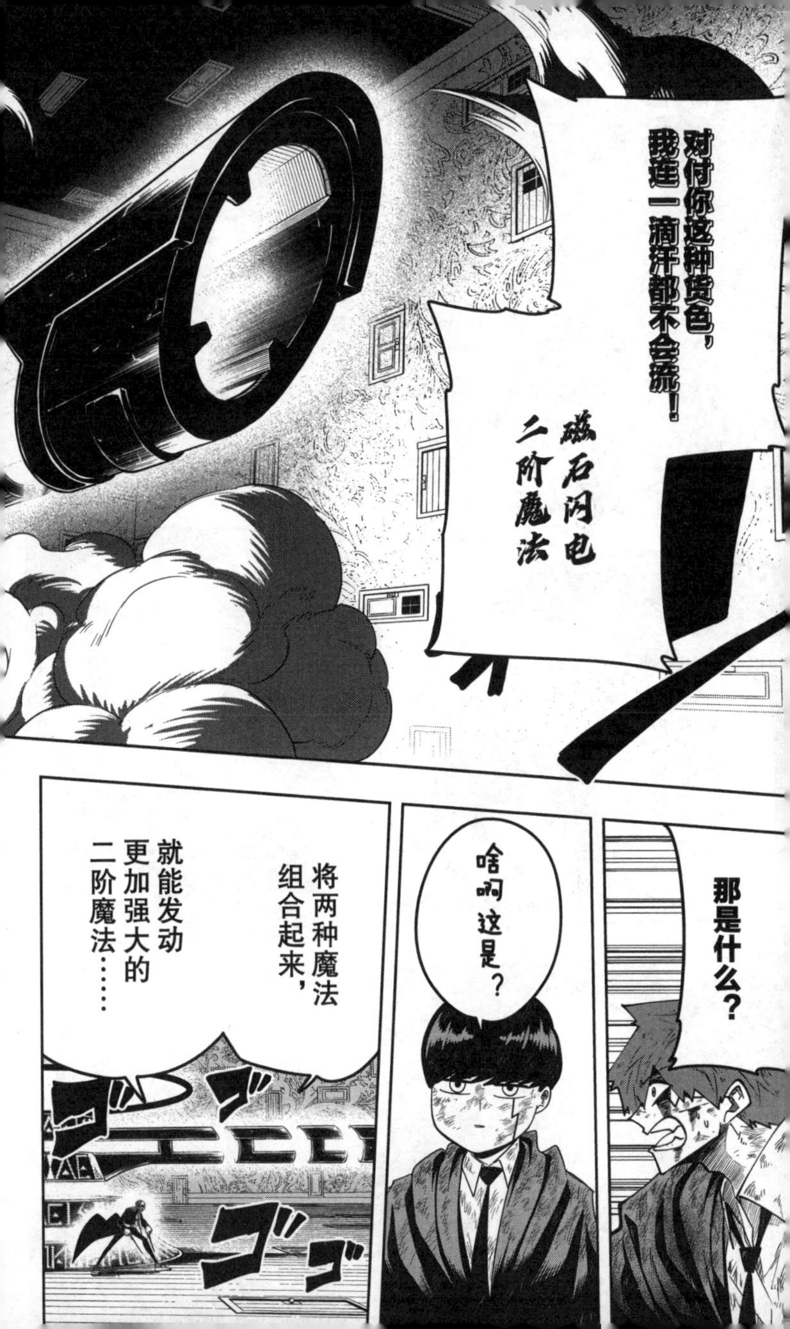

对付你这种货色，我连一滴汗都不会流！
磁石闪电
二阶魔法
那是什么？
啥啊 这是？
将两种魔法组合起来，
就能发动更加强大的二阶魔法……

第90话 马修·班迪德与闪电和磁石大炮

附录④

P170 待续

错的明明是骗人的人，
你这个蠢蛋。
有趣——

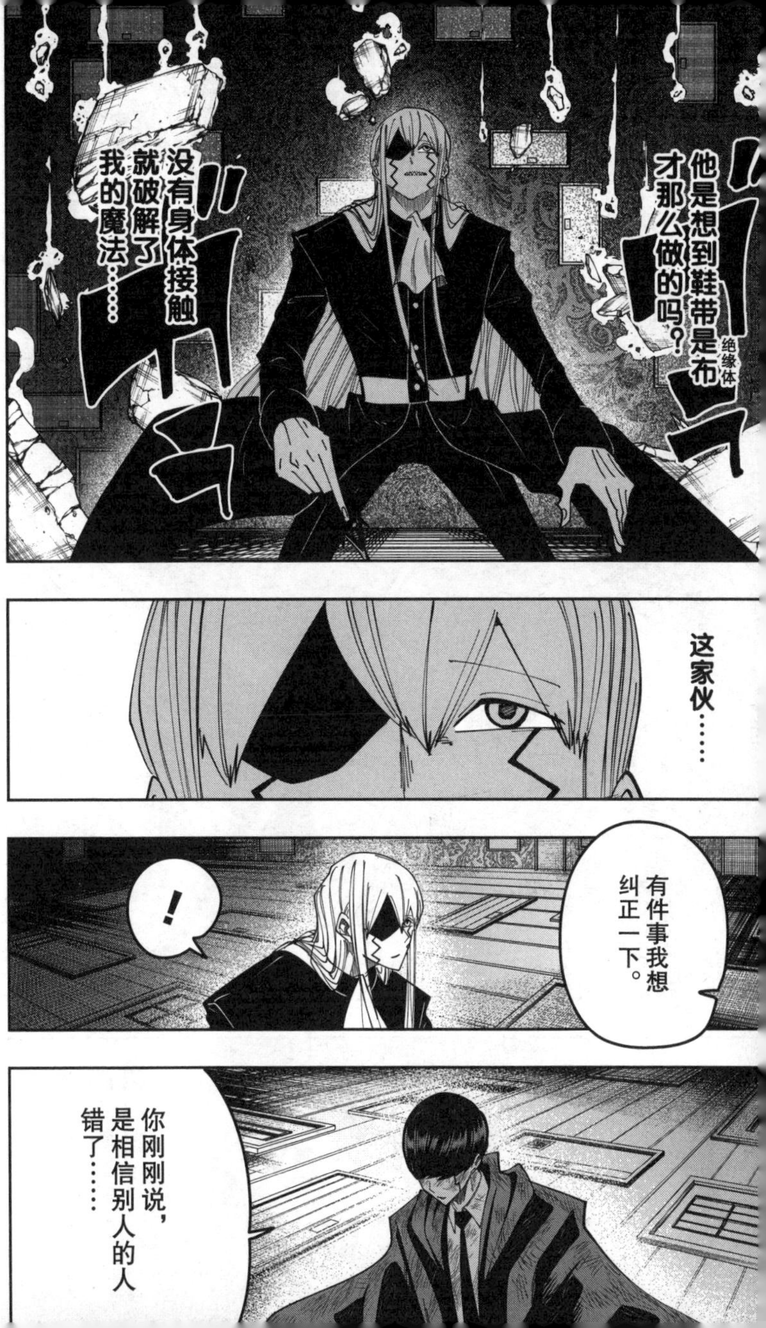
他是想到鞋带是布（绝缘体）才那么做的吗？
没有身体接触就破解了我的魔法……
这家伙……
有件事我想纠正一下。
！
你刚刚说，是相信别人的人错了……

哼！
吱
他好像在甩链球，
呜呜呜呜呜，
呜呜呜……

啊啊啊啊啊！
嘶——

欸……
啊……
啊啊……
パ
パッ
啊啊啊啊
啊啊啊啊啊!!
ズッ

脱下
欸……
他把鞋脱了……

没用的!!
!!
把墙砸了个窟窿，
还在继续追!!
那要跑到什么时候啊?!
哈哈哈哈哈哈！
可惜啊可惜，
在你倒下之前，
它们是不会
停下来的!!

什么?!拐了个直角!!
如此一来，追着马修的磁石就会因为惯性
撞到墙上！

跟着加速！
跟那个都是尖刺的球不同，只要碰到就会中招……
这种设定对马修非常不利……
你逃不掉的。

这下你完蛋啦!!
吸引。
哼。
以极快的速度躲避?!
没用的，你一加速，磁石自然也会——

!!
我的另一套魔法是雷系魔法……
只要碰到我的磁石，高压电流就会通遍你的全身……
这样一来，你擅长的肉搏术就无法施展了!!

磁石闪电球。
！
又是……磁石……
欸……什么都没发生……

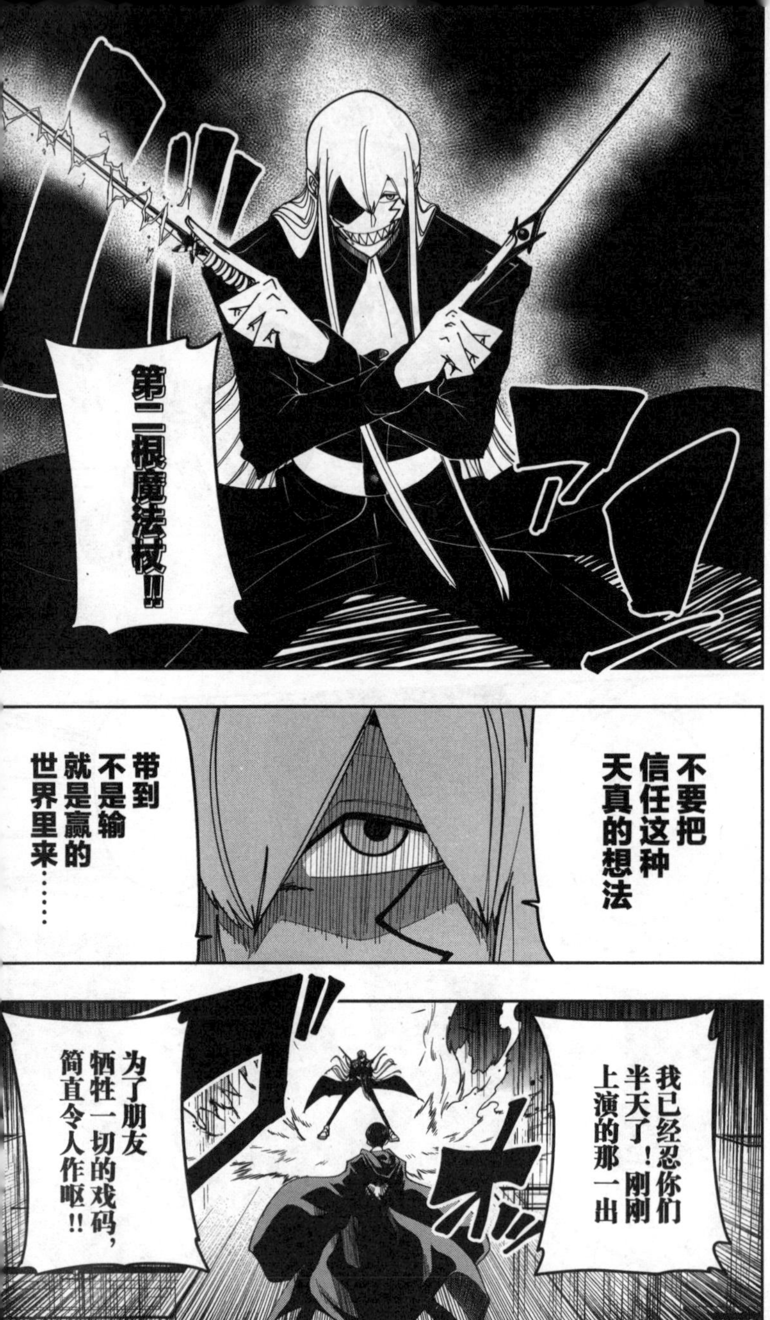
第二根魔法杖!!
不要把信任这种天真的想法
带到不是输就是赢的世界里来……
我已经忍你们半天了!刚刚上演的那一出
为了朋友牺牲一切的戏码,简直令人作呕!!

明明是你自己不好，
随随便便就相信别人。
人都是自私自利的!!根本不需要伙伴!!
你，那个蘑菇头，多米纳，还有那些「神觉者」，
我会把你们所有人都干掉，踩着你们往上爬！
只要能赢，
我连家人都能舍弃!!
那……那是……

居然背叛我……
我背叛你？
说这种话你也不嫌害臊。

利夫……
ハァ…ハァ…
*呼……
我将来会统治世界，
为此需要你的力量，
你愿意帮我吗？
当然，我承诺，等我功成名就，
我肯定会给你魔法局干部的地位。
你跟其他人不同，
和我是一个世界的人。
你!!

胜利永远是属于一个人的!!
我的目的只有一个，
那就是站上世界的顶点!!
利用一切能利用的东西!!人类不就是相互利用的生物吗?!
我要证明我才是最强的！
为此，任何事我都做得出来!!

居然
拿自己的同伴
当盾牌!!
啊嘎……
呜咕……
利夫……
为什么……
啊哈哈哈哈……
这有什么
好惊讶的……

メキ
メキ

马上召出一块磁石
缓冲了马修的打击?!
天真。
吸引。

第89话 马修·班迪德与第二根魔法杖

附录③

P150 待续

嘎噗！
我会让你看清楚
孰优孰劣。

ギィ
我的任务完成了……
执意接近我并自爆……
原来是为了抢钥匙!!
ドドドド
フッ
这家伙……

ドドド
ドド

呵呵呵，还不明白吗？
你们这种低级魔法使的攻击对我……
?!
发生了什么……
?!
钥匙不见了?!
难道说……

魔力因为情绪增强了?!
机关枪 艾库斯普罗姆!!

他一定能成为『神觉者』。
……
朋友被人看不起却当没听见这种事……
我做不出来!!我还没那么窝囊!!

*死命抓住不放
?!
……!!
这家伙居然……
再这样下去，
他会死的。
是什么让他
如此执着……
这家伙……
我相信他。
无论你怎么说，
无论世人如何评论，
即便被当成傻瓜，
就算一直被否定，
我依然相信，马修他肯定能够做到。

双管齐下！
……
利夫这小子
下手太狠了……
一个人受了
那么重的伤，
肯定爬不起来了……
走吧。
*抓住

相吸。
强酸。
呜啊啊啊啊啊啊!!
还没完呢!
磁石球!!

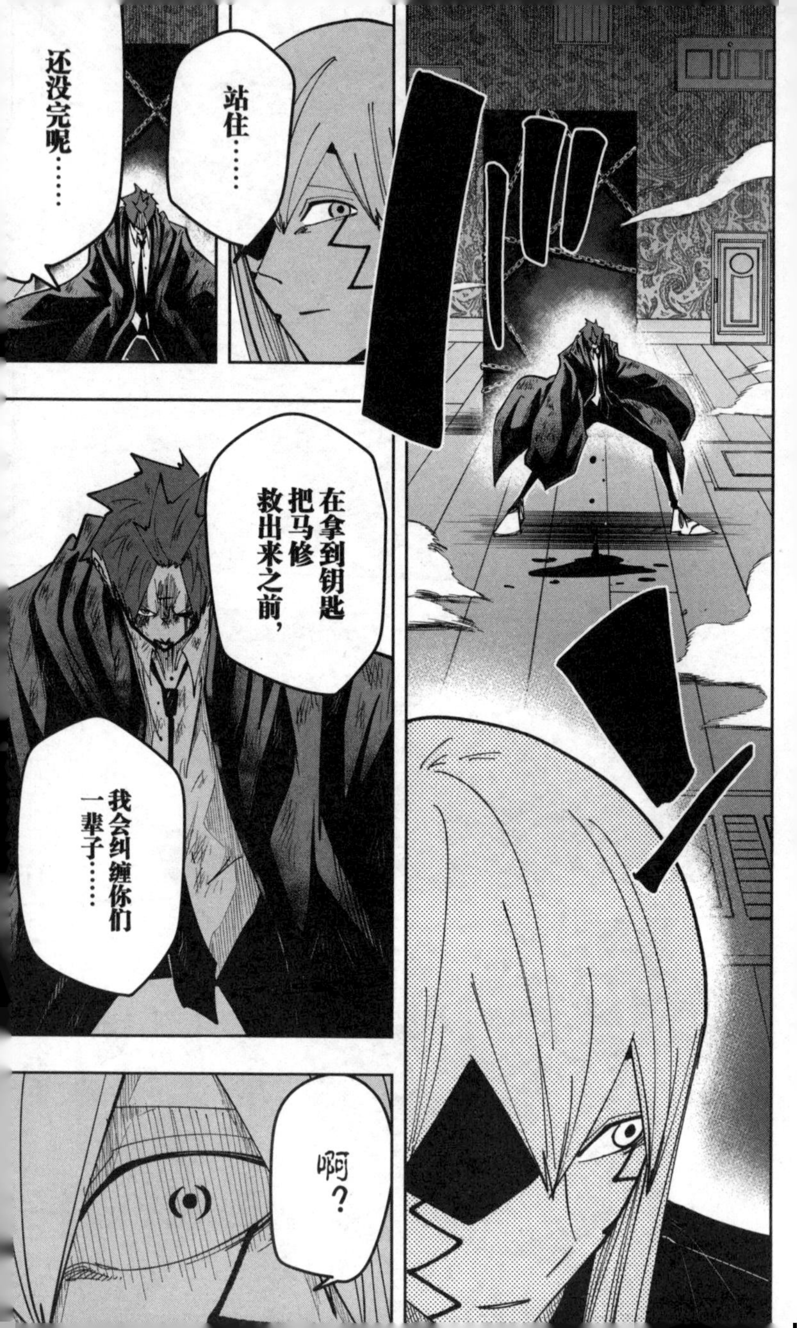
站住……
还没完呢……
在拿到钥匙把马修救出来之前，
我会纠缠你们一辈子……
啊？

怎么样？
是不是疼得都快昏过去了？
放心吧，等我成了管理层，为了让你们不再做那些不切实际的梦，
我会把不会用魔法的家伙彻底消灭的。
不过这些话你也听不见了……
……
！

你根本不了解马修，
竖
凭什么擅自决定他的命运?!
哼，无聊。
相吸。
呜咕啊啊啊啊啊啊啊啊啊啊啊啊!!
我就是要说——
他就是成不了，永远都成不了『神觉者』!

而你们
那个蘑菇脑袋
连魔法都不会，
还想当『神觉者』？
简直是
痴心妄想，
笑死人了——
呀哈哈哈哈！
你也发现了吧？
那家伙
根本不可能
成为『神觉者』！
……
闭嘴吧……
啊？

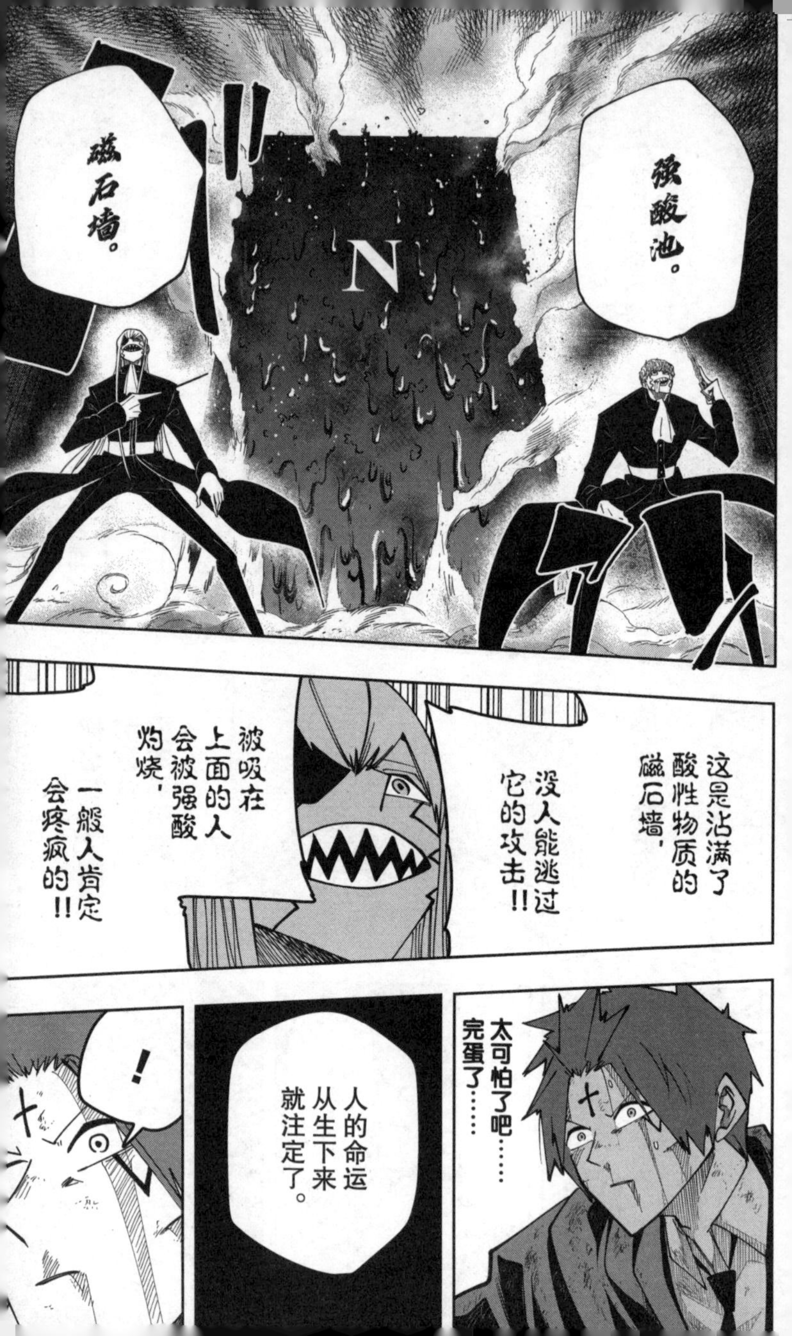
强酸池。
磁石墙。
这是沾满了酸性物质的磁石墙，
没人能逃过它的攻击!!
被吸在上面的人会被强酸灼烧，
一般人肯定会疼疯的!!
太可怕了吧……完蛋了……
人的命运从生下来就注定了。
!

ザザザ
ズ
……
喀喀！
ズ
呜啊！
完蛋了……不只魔力耗尽，身体也快到极限了……
冷静下来一想，
呼……
呼……
实力悬殊……
如果不能在一次突袭中把他们干掉，就几乎没希望了……
看来眼下只能暂时撤退，然后寻求马卡龙他们的帮助……
呵呵呵……
放弃就对了……
!!
因为继续打下去，你肯定会丢掉小命。

相吸。
呜啊！
呜啊啊啊啊！
*喷射
强酸。

真遗憾啊。
这个世界可没你想的那么简单……
ジュウウウウ
用强酸
抵消了爆炸?!
磁石球

第88话 达特·巴雷特与坚定的决心

*啪嗒
ボタボタ
情况不妙……
虽然是自己的攻击，多少能做一些调整，
但也中了好几弹……
魔力已经耗尽……拜托了……别再给我站起来了啊……
拜托……
！
ズズズ

附录②

向我低头吧，你们这些渣滓！
我命令你们五体投地，与我视线齐平。
你们要认清自己的立场。
这狗嘴巴好贱啊——!!
这狗怎么回事啊……
真够凶的……
喂，你们在干什么呢？
嗯？那不是狗吗？
哎哟，好乖好乖，好可爱哟。

P128 待续

ゴオッ
在这个空间里，
不管怎么跑
都看不到尽头，
但我还是要跑。
兰斯和达特
肯定在外面
为了救我
而努力战斗着，
必须尽快
从这里出去……

再次增加了炸弹的量……
他真想连自己也炸死吗……
那个满是尖刺的球就在身后……
肯定能打中!!
这是……
为了朋友而战可不是什么天真的举动!!
而是一件需要觉悟的事!!
我跟你们不同，我为了朋友可以不要命!!
死100次都没问题!!你们就是懦夫!!

喊！
这么近的距离
你们无法攻击我……
你也一样吧!!
蠢货……我跟你们可不一样！
?!

?!
这家伙……是什么时候
跑到我身边来的？
莫非他连自己一起炸？

我的磁石可是能随心所欲移动的。
利用烟雾藏起来毫无意义，
看我把你揪出来！
小天真!!
磁石球!!

隔开一段时间
释放的第二波攻击?!
干掉了吗?

哼，这种程度的攻击伤不到我的。
?!

我是不会让那种事发生的!!
魔力暴涨?!
!!
机关枪
艾库斯普罗姆。

*啪嗒
呼！呼！
并没有嘴上说的那么厉害嘛——还要继续为朋友努力吗？
天真——简直就是天真本真——
像你这种小天真，会死在我手上呢！
可恶……我必须赢，否则马修就出不来了……
马修要是出不来，他就成不了『神觉者』，而且必须接受审判……

强酸。
*流淌
相吸!!
*击中

!!
之前对马修
用的那招!!
相吸!!
相斥!
?!

我能赢，虽然是能赢，
但后冒出来的这个人……
那个长毛跟马修打的时候，我可是很识相地一直在旁边观战啊。
啊——这些人可不会那么识相。
不过反正我能赢，无所谓了。
蘑菇头也挺可怜的，朋友都是些小鱼小虾……
嗯？要逃吗？我倒是无所谓。
闭嘴!!你说谁会逃啊!!
看我两秒就把你揍趴下!!
哈哈哈哈!!小卒子口气倒是不小——

总算回来了……
又～～～～～～～～～～～～～～
又冒出来一个？

稍～～～微
有一点点勉强啊。
也不是打不赢，就是稍微有点……
真的只是稍——微。
嘿嘿，开玩笑的，我肯定能赢。
因为我是全世界最强的啊。

兰斯赢了……
也就是说
只要我赢了这家伙
就能救马修了……
原来如此，
原来如此啊……
怎么说
我也算是主角……
面对第二强的敌人……

本来想着至少能切掉你的胳膊呢，
你这个狡猾的家伙！
虽然也有可能是陷阱，
但反正都需要花时间……这样反而是最快的……
话说这家伙是白痴吗，就这么把钥匙送过去了……
之后的事拜托你了，达特……
！
*当啷
钥匙……
兰斯赢了吗……

这座宅邸变成了迷宫，要想回到原来的房间，要费不少工夫，
我来给你开个空间洞吧。
?!
传送门关上了?!
*抽回
*当啷

第87话 达特·巴雷特与两个敌人
呜……
为了妈妈……
我要继续……
妈妈——
好了，把钥匙交出来吧。
哼……没办法了……妈妈教育我，一定要说话算话。
拿去……
*嗖
哼……
*接住

附录①

キャン キャン
キャン キャン
*汪
校园里怎么有狗……
它戴着项圈，是有主人的吧？
它好像有话要说……
马修君!! 我终于学会了犬语魔法呢！
这也太巧了!!
这里正好有只狗，不如试试吧！
以心传心。
不过我还真的挺想知道这狗在说什么……

P108 待续

结果就是，我的眼里只剩下达成目的这一件事了。
我绝不能输……
……
但有个男人将那样的我引导到了真正的道路上。
为了妹妹，也是……
为了遵守我与那家伙之间的约定……

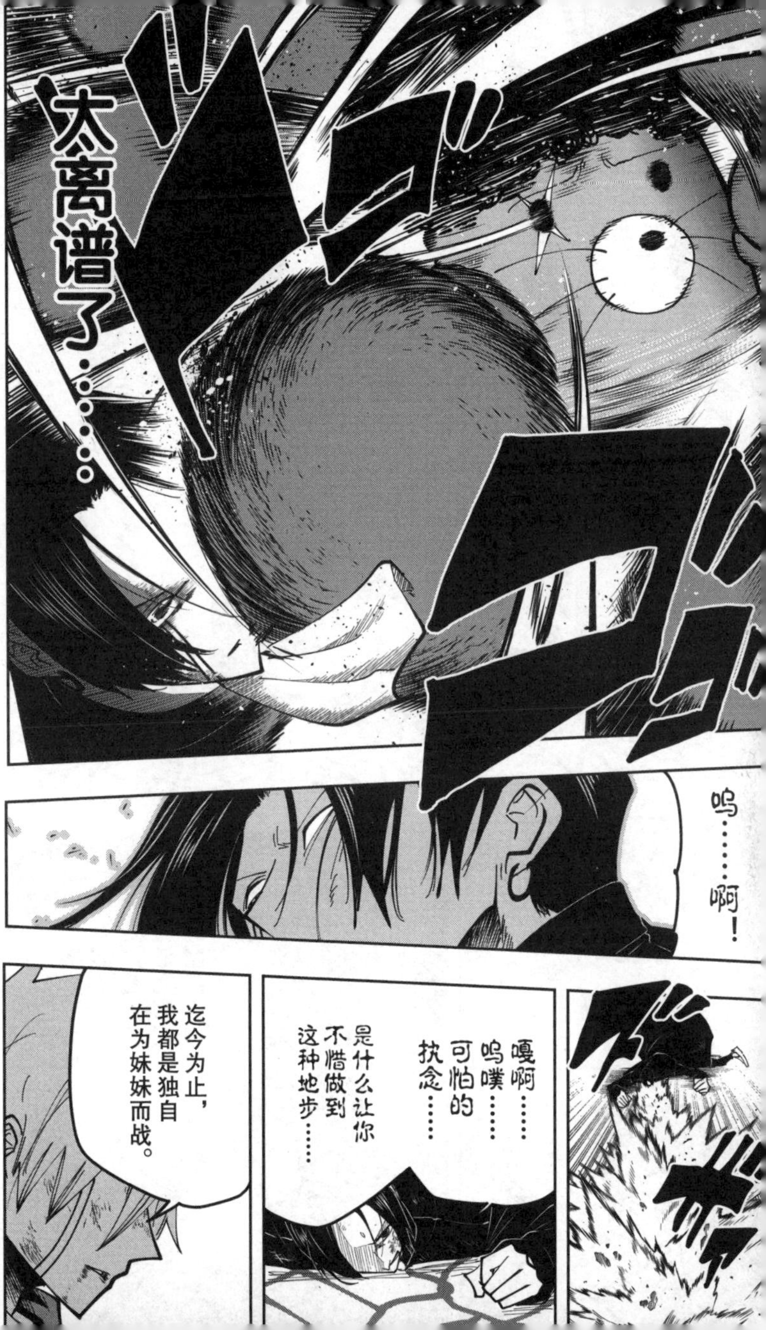
太离谱了……
呜……啊！
嘎啊……
呜噗……
可怕的执念……
是什么让你不惜做到这种地步……
迄今为止，我都是独自在为妹妹而战。

ドドド
ドド
ドドド
パカ
パカ
パカ
他……用常人根本不可能使出来的蕴含庞大魔力的二阶魔法为饵，吸引地鼠的注意力，
地鼠就不会去感知古拉比奥尔释放前溢出的那点魔力了？
这也……

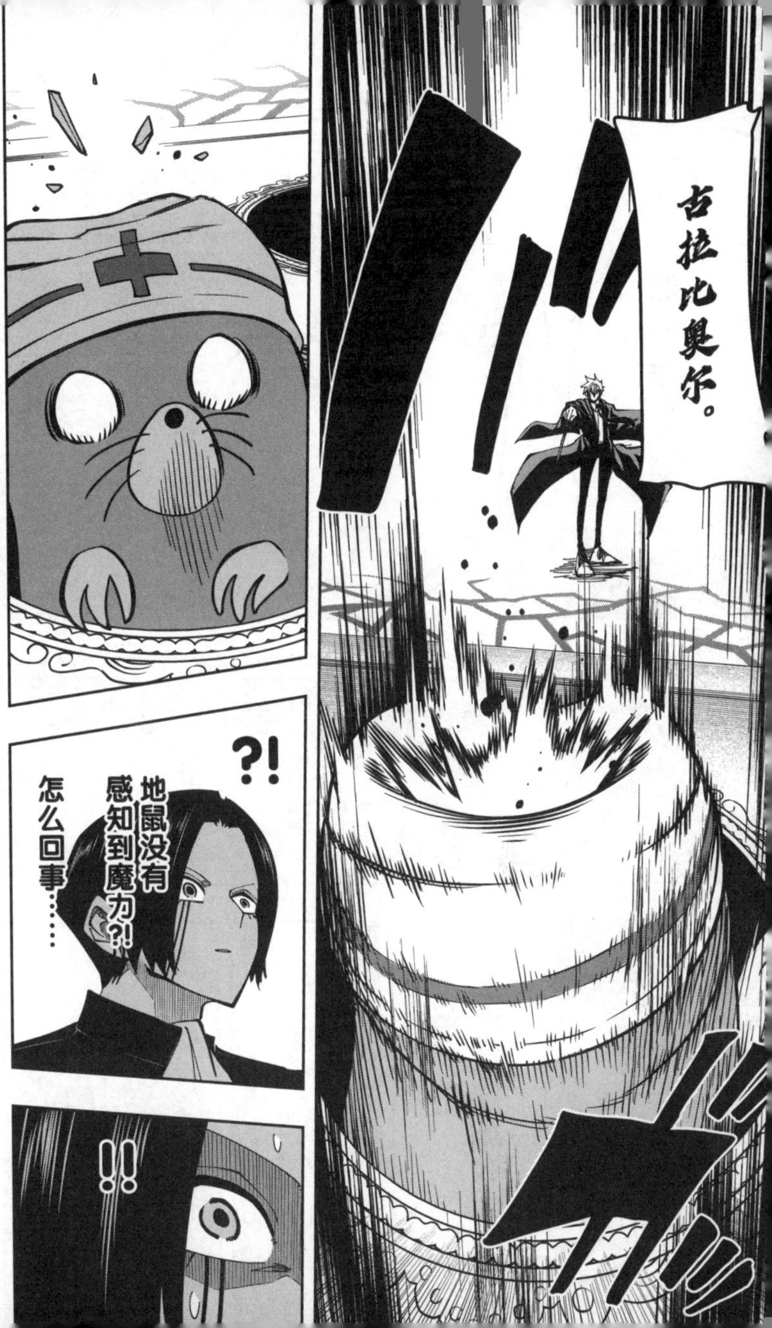
古拉比奥尔。
?!
地鼠没有感知到魔力?!
怎么回事……
!!

不要输给除我之外的其他人啊。
你说我会输？
没用的!!不管再来几次，
凭你的魔法……

输？
不用你说，
我也不会让那种事发生。
我居然……
不过你能这么说，
我还挺开心的。
！
有点不打不相识的意思。
所以，兰斯，你也——

我要输了？
兰斯 好可怕啊……
你太强了，好吓人。
又不爱说话，都不知道你在想什么……
还是死鱼眼。
希望哥哥
也能交到站在同一个高度、谈得来的朋友。
以后要是发生被哪个无名小卒夺走级硬币这种事，
我不会饶了你。

Mr.兰斯啊，你将在这里
输给我!!

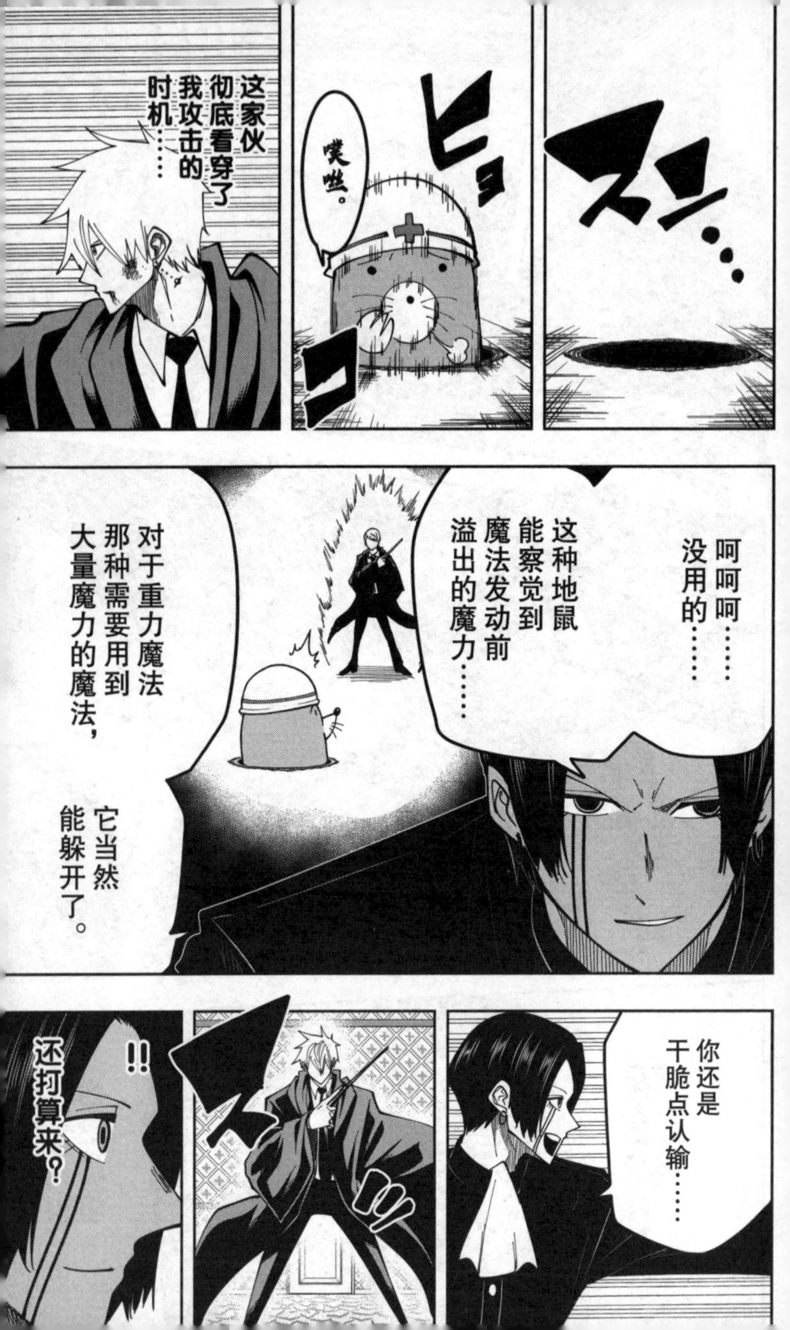
スン…
ヒョ
噗哧。
コ
这家伙彻底看穿了我攻击的时机……
呵呵呵……没用的……
这种地鼠能察觉到魔法发动前溢出的魔力……
对于重力魔法那种需要用到大量魔力的魔法，
它当然能躲开了。
你还是干脆点认输……
!!
还打算来？

扭曲。
啊！
嘿呀！
啧……
既然如此，我就对所有的……
古拉比奥尔。

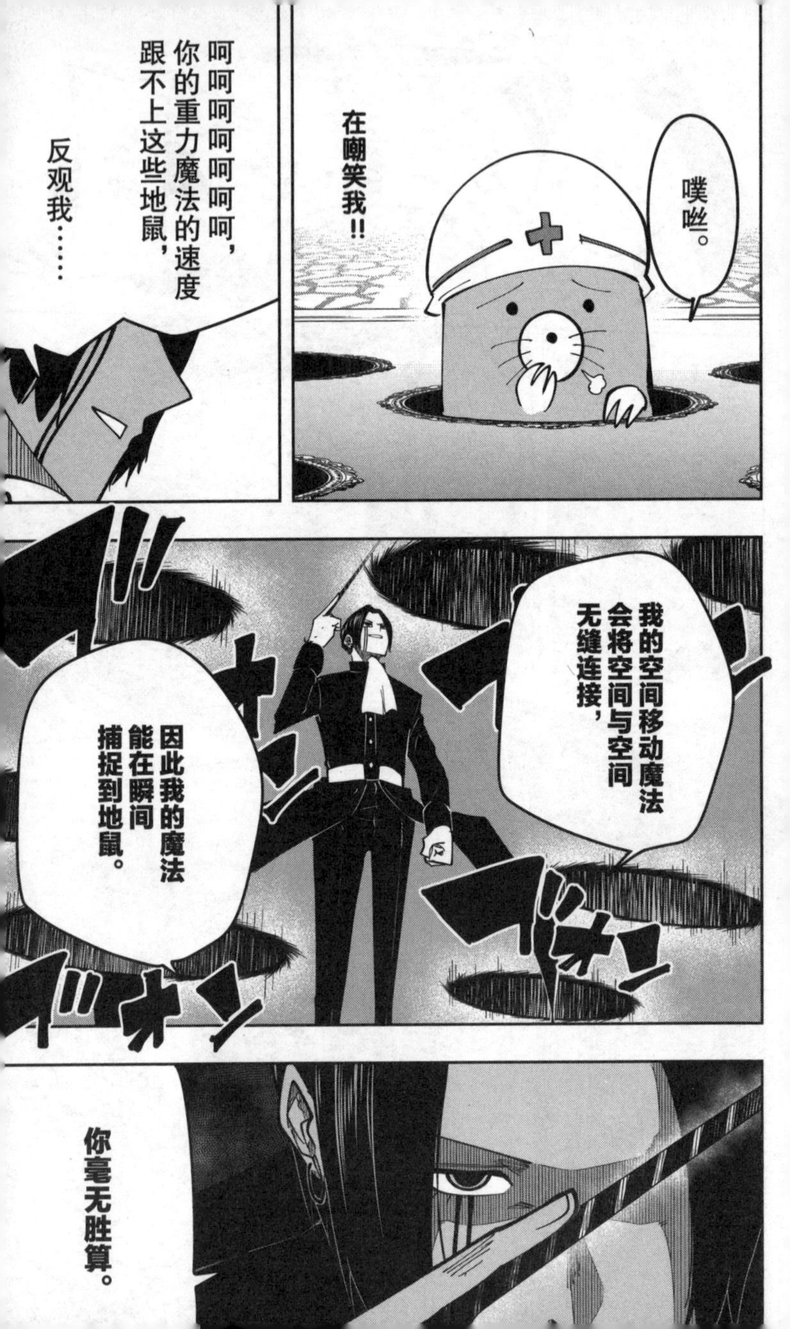
噗呲。
在嘲笑我!!
呵呵呵呵呵呵，你的重力魔法的速度跟不上这些地鼠，
反观我……
我的空间移动魔法会将空间与空间无缝连接，
因此我的魔法能在瞬间捕捉到地鼠。
你毫无胜算。

什么乱七八糟的房间……
不过规则很简单，就是打地鼠……
古拉比奥尔。
嗖
地鼠的动作……好快……
嘿呀!!
而且这家伙……

呜叽！
扭曲。
?!
嘿呀!!
打到地鼠就会间接给对手
带去来自地鼠先生的伤害。

脑子不正常的死妹控……
ズズ
不要太过分了！
这是什么房间？
这里是打地鼠房间，
ポコ
ポコ
ポコ
禁止直接攻击对方。
不过——

我生来就是
妈宝。
多么坦荡的妈宝啊!!眼睛都直了。
哼……居然说自己是天生的妈宝？
真让人遗憾啊。我生来可就是
妹控了!!
这种事有什么可比的！

这人……脑子不正常!!
你在跟谁说话……
我妹妹啊!
人在哪儿呢?你脑子有毛病吧?!
???
你这个妈宝没资格说我……
等等……你刚刚说什么?
……
母亲
是世界上唯一不求回报地爱着孩子的人。
母子关系是唯一不用在乎得失的人际关系。
而且!
她毫不吝惜地把自己的时间和爱分给孩子,为孩子劳心劳力,
这样的人怎么能不好好珍惜呢……

这小子太恶心了。
我觉得你以后还是不要在人前这样比较好……
？？？为什么？
就是……有点过了……
我们已经是青年人了……
还像小孩子一样跟妈妈撒娇，只会让人看不起……
你说呢，安娜？
嗯，哥哥说得对。（假声）
?!
哥哥要加油哟，最后的考试。（假声）
当然会了，我会拼命赢的。
……

妈妈？嗯，在好好考呢。
一张一合
?!
魔法道具
传音兔
嗯，马上就结束了，晚饭回家吃。
嗯，嗯，我带着妈妈给我的创可贴，没问题的哟。
嗯，嗯，我会加油的。
回家要好好夸夸我哟！嗯。
嗯，拜拜，晚点再打给你。
抱歉，破坏了战斗的气氛。
……

兰斯……
伊斯顿的Mr.兰斯，
接下来我查尔斯·孔蒂尼会让你见识一下什么是真正的地狱。
好啊，
那我就在一分钟之内将你摆平。
哼……你的重力魔法对我没用……
那可说不好。
呵呵……这……
抱歉，请容我先接个电话。
嗡嗡
交锋在即……
是他的老大打来的？
喂？

前情提要：马修被关起来了。
要想把他从那个箱子里弄出来，只有一个办法，那就是从我们手上抢走钥匙。
Mr. 兰斯，你的对手是我。
啧！
我马上就回来，你要顶住啊，达特。
欸欸欸——
不是吧——

第86话 兰斯·库朗与疯狂打地鼠

致各位购买本漫画的读者

非常感谢您购买了《马修》第10卷!!

不知不觉就出了10卷呢……

这都多亏了各位读者，真的很感谢……

而且一开始说好了要画干货满满的短篇，

真是对不起！我说谎了！

对不起!!

别对我扔石头啊!!

好痛……!! 也别扔易拉罐啊!! 橘子皮也不行!!

我在反省了……!! 对不起!!

其实嘛，大人都是骗子……

小朋友们真的要小心哟。

把压岁钱交给家长保管，

百分之百要不回来对不对……

总之就是这么回事……千万要小心!!!

又及：谢谢你们给我写的粉丝来信!!

袜子我也超喜欢！这些都成了我的动力!!!

好棒——!!!

什么?!
ガギャ
等一下。
ザ
!!
ゴゴ
被『台球』撞飞的兰斯!!
欸……好黑……
啊啊……
黑得让人想点几根香薰蜡烛。

马修!!
这是只有拥有两根魔法杖的人才能使用的高级魔法。
一旦被关进去，就会永远在虚无的空间中彷徨!!
要想把他弄出来，就只能抢走这两把钥匙……
从来没听说过有人能用两根魔法杖啊!
锵
而钥匙分别在我们两个人手上。

监禁方箱!!
*咔嚓

用指尖的力量给球加上了磁力无法起效的旋转和速度?!
有趣！既然如此，就让你见识一下有趣的东西吧。
!!
两根魔法杖?!

都说没用了，听不懂吗？
不管你丢过来多少次，我都会把它弹开!!
相斥!!
グッ
?!
ググググ
ミリミリミリ
メキャメキャメキャ

キリ
ダ
キリ
ギリ
肩膀魔法
导弹・传球。

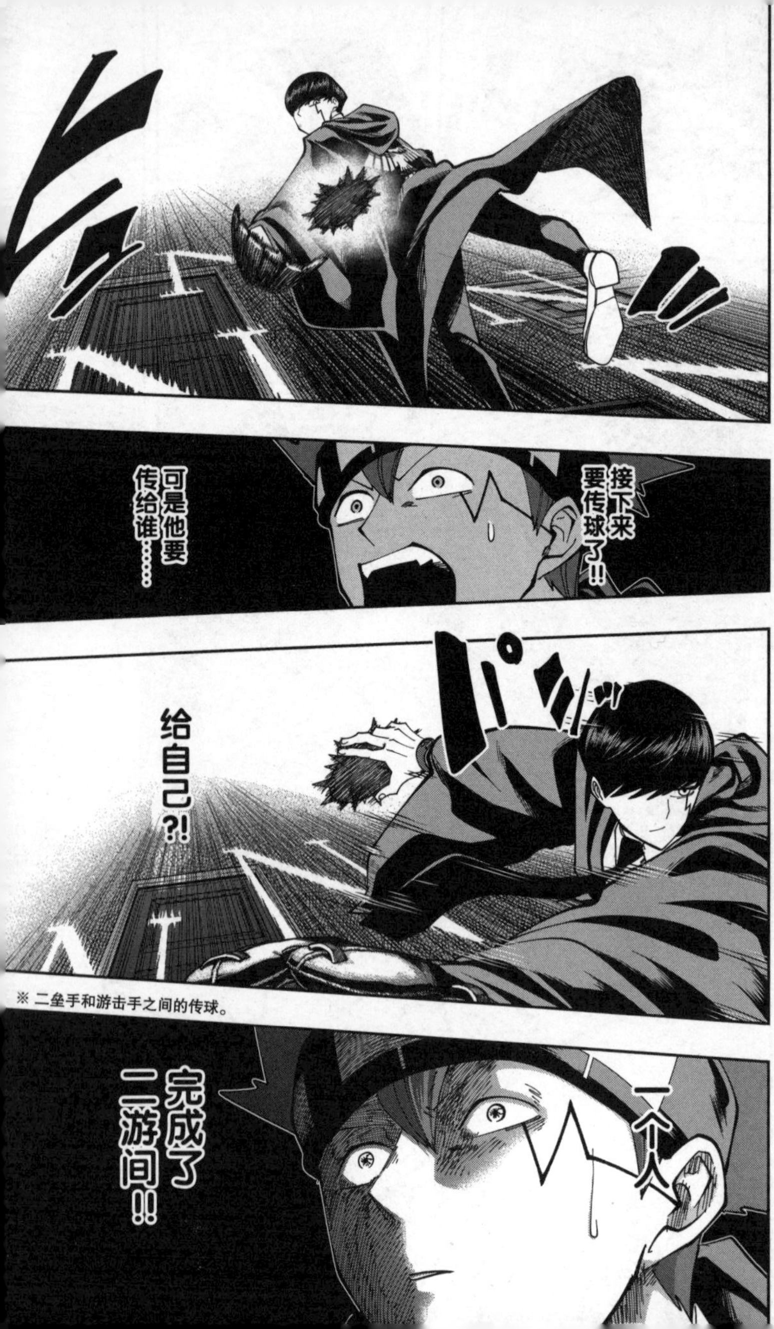
接下来要传球了!!
可是他要传给谁……
パッ
给自己?!
一个人
完成了二游间!!

※ 二垒手和游击手之间的传球。

多么行云流水的接球动作啊……
没用的……我的魔法是磁石魔法，
我可以放出排斥力更大的磁石。
相斥！

棒球手套?!
这个大小超出铁杖的质量了吧?!
*啪
他……

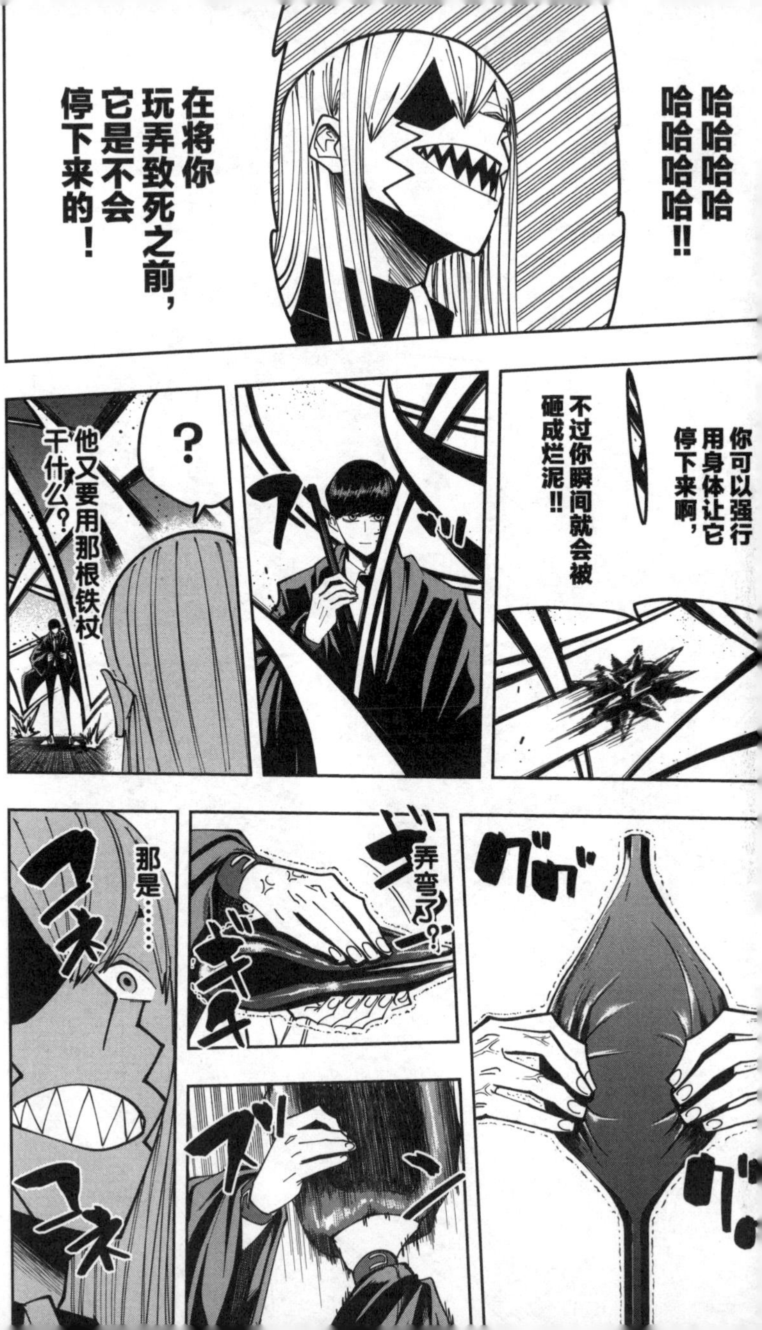
哈哈哈哈
哈哈哈哈!!
在将你玩弄致死之前，它是不会停下来的！
你可以强行用身体让它停下来啊，
不过你瞬间就会被砸成烂泥!!
？
他又要用那根铁杖干什么？
弄弯了——？
那是……

继续加速!!
再加几个!!
ポポポポ

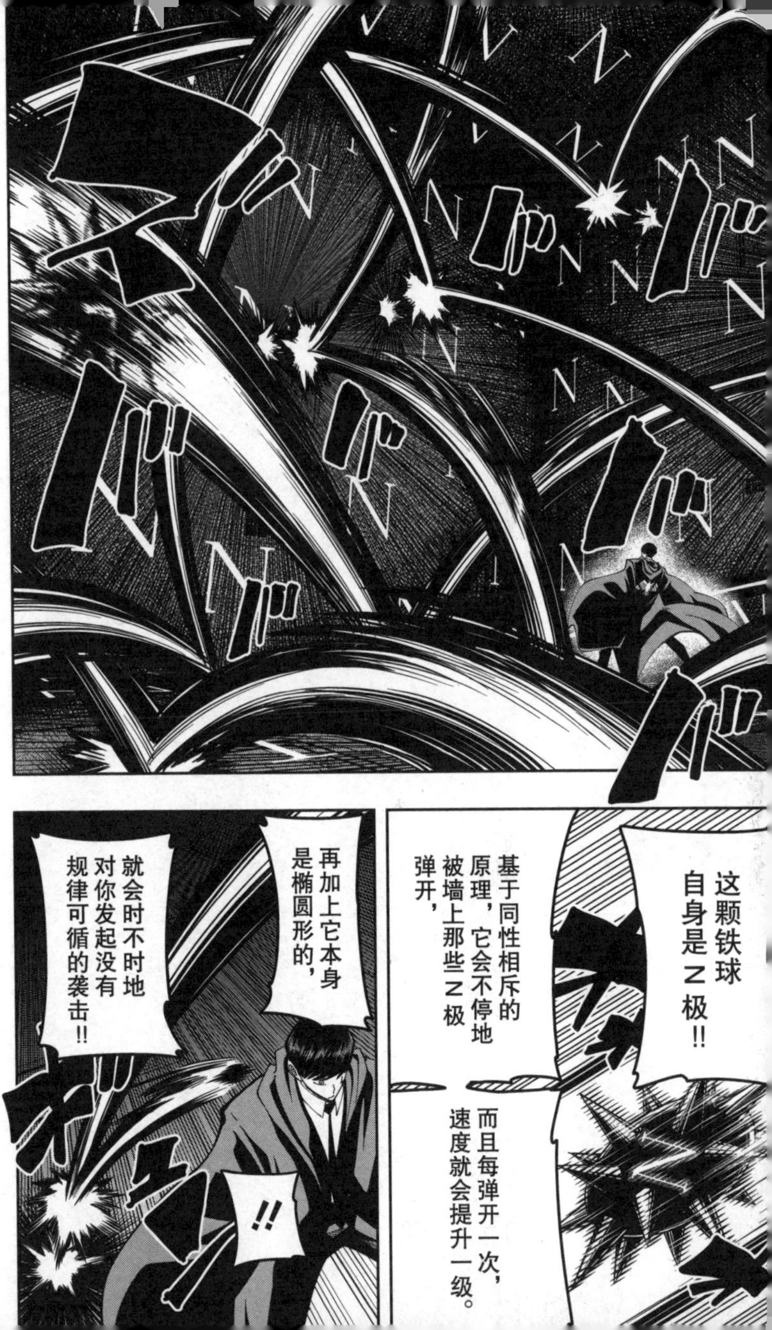
这颗铁球自身是N极!!
基于同性相斥的原理，它会不停地被墙上那些N极弹开，
而且每弹开一次，速度就会提升一级。
再加上它本身是椭圆形的，
就会时不时地对你发起没有规律可循的袭击!!
!!

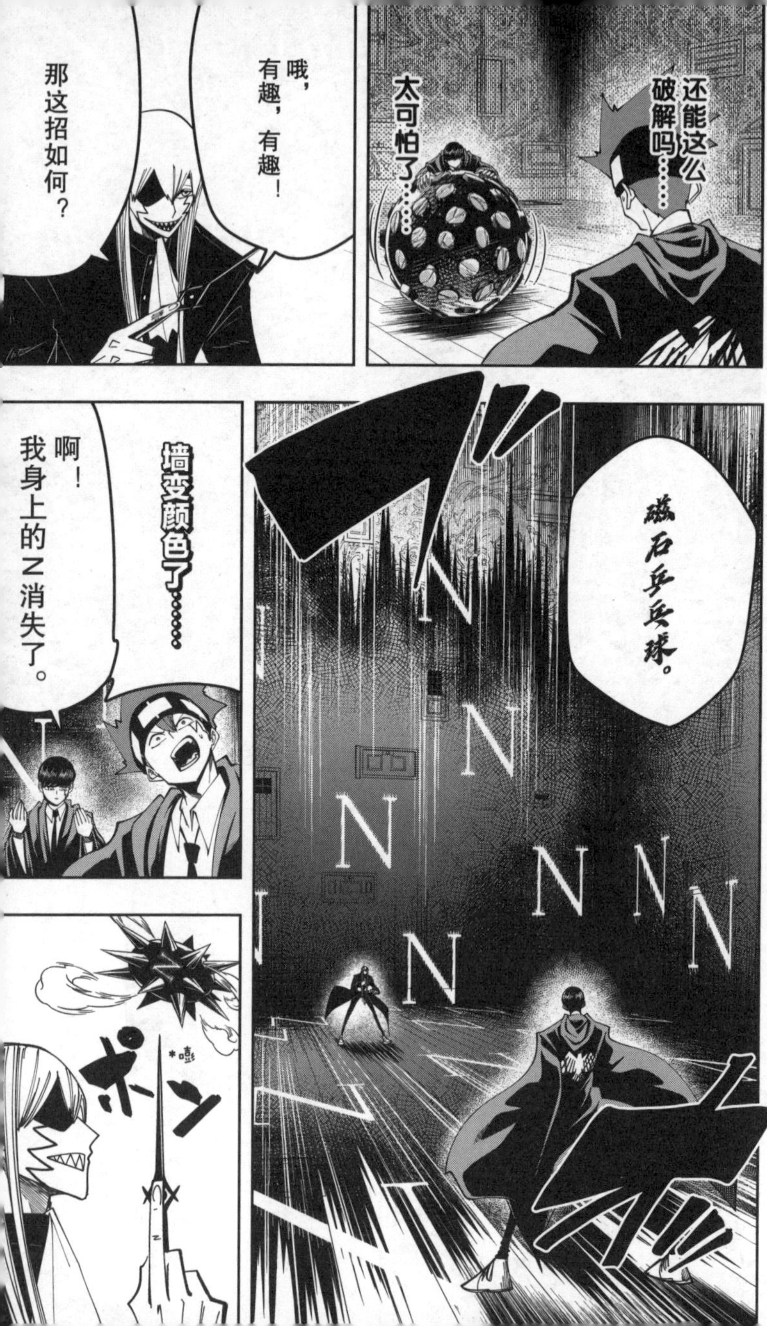

还能这么破解吗……
太可怕了……
哦，有趣，有趣！
那这招如何？
磁石乒乓球。
墙变颜色了……
啊！我身上的Z消失了。
ポン
*嘭

ドォ
バキバキバキ
バキ
ぽーん
将上面的刺一根根弄断……
ぽーん
ぽーん
而且他在……
ドン
变成普通的球体了!!

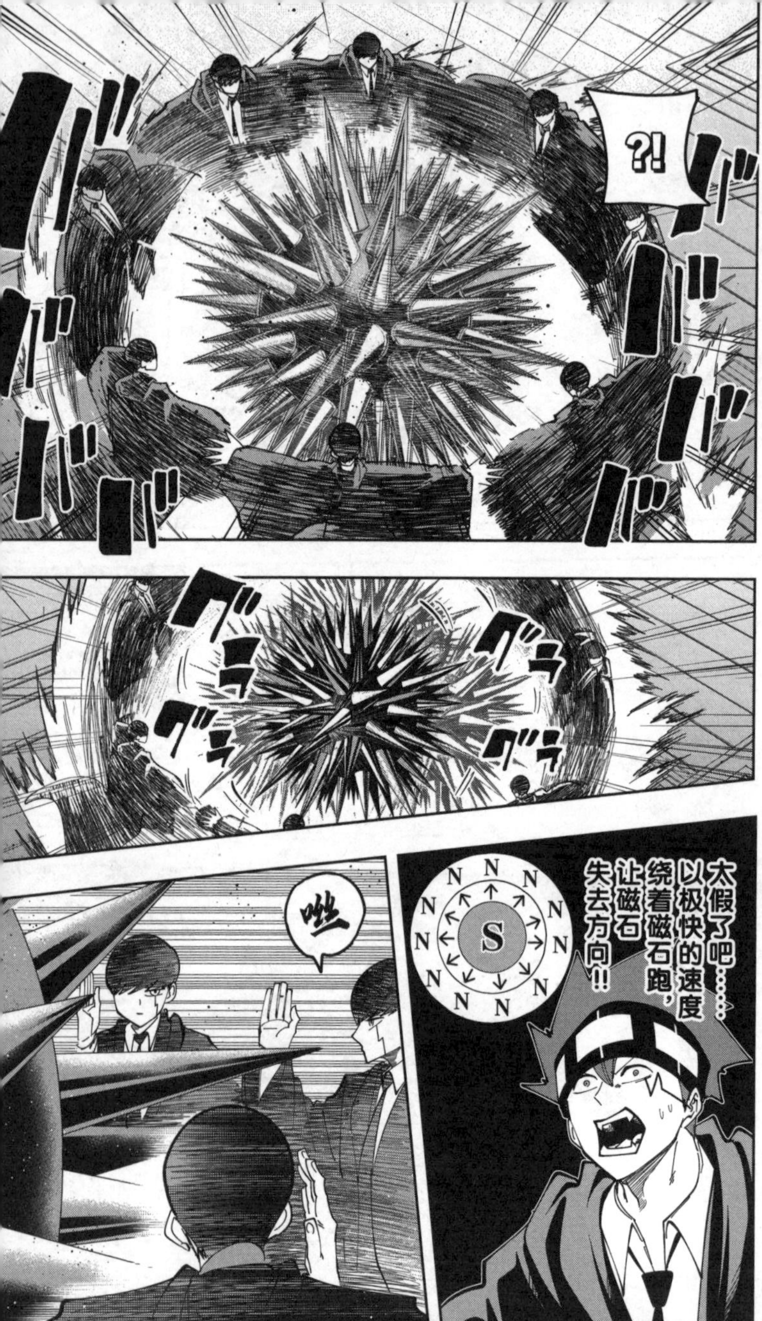
?!
グラ
グラ
グラ
グラ
N
S
咝
太假了吧……
以极快的速度
绕着磁石跑，
让磁石
失去方向!!

相吸!!
呜啦——
相斥!!
居然能让人体带有磁力，这是耍诈吧!!
这样的攻击根本无处躲无处藏啊!!
相吸!!

相斥!!
ブオン
磁石魔法!!
通过咒文改变S极和N极，让那个球撞向马修!!
只能跑了。
タタタタタ
ブオン
ズズズ

磁石球
嗡
相吸!!
嗒

第85话 马修·班迪德与磁石魔法使
不会用魔法的社会渣滓……
我是不会认可你这种人的存在的……
我活着又不是为了得到你的认可，
无所谓。
我要上咯——

啊啊啊啊！
パラパラ
*掉落
完蛋了!!

看来得让你认清一下现实了，
让你看看什么叫身份的差距。
在历经千锤百炼造就的肌肉力量面前，众生平等，
接下来由我教会你这个道理吧。

嘁!!
有一颗是强力后旋球?!
啧!啧!啧!
不会轻易让你跑掉的哟.
啊?我从生下来的那刻起就注定会统治世界,
你这个
连魔法都不会用的贱民,胆敢反抗我?

我们来对付他们，
稍后会合，马修·班迪德，
要赢啊。说定了。
别以为跑得掉!!你们这群垃圾!!
?!

不过是台子上的球吗——?!
咻
单杆清台。
我是不是秃了？头顶好烫！

*咚
先让球激烈撞击，之后精准地打到我们?!
不可能……在他眼里，我们——
这球好重!!

*吧咔
ビクッ
*惊讶
*哆嗦

パウカウ

竟然说是
台球?!

咚
台球杆?!
肱肌魔法
嗖
野蛮击球。

?!
ズッ
ギチ
*咔嚓
ギチギチ
ギチ
啊……
啊……
我有不好的预感……
什么……
把他那根铁杖拉长
是打算干什么……
ズッ!!
莫非
那是……

连大型动物都能瞬间啃食殆尽。
魔法界的头号肉食昆虫。
去吧!!
该死……刚才吐槽冷笑话太出风头了……
只恨自己吐槽得太起劲了，可恶啊……
可是用我的魔法
会让冰层下面的虫子也跟着爆炸!!
在不能动的情况下，要怎么收拾那些虫子才好……
蹲下。
?!

你们会被炸成灰烬吧。
这样的话
就动不了了啊!!
当然，这还不算完。
尖牙蠕虫。
1
2
3
4
7

冰下埋的是魔雷虫，
嗡嗡
要是不小心刺激到它们……
刺
*咚哐

脚被……!!
冷笑话讲得那么烂，实力居然很强啊……
只能打碎这些冰了……
嗯?!
呜哇！冰里有虫子……
劝你们不要轻举妄动。
！

傀儡战士。
让马修吃过苦头的人形兵器!!
肯定能干掉他!!
※ 日语中“青蛙”（かえる）和“回家”（帰る）发音相近。
青蛙回家。
冰原

都不知道他在说什么，连个铺垫都没有。
可是在这里突然说冷笑话一点好处都没有啊，
或许只是刚巧用了发音差不多的词而已。
啊呜哇！
啊哇哇哇哇！
买葱，
※日语中"葱"（ねぎ）和"杀价"（ねぎる）发音相近。
别说了……别再说了……拜托……
要杀价。
呀啊啊啊啊啊啊啊啊啊啊啊啊!!
ゴォォ
谁来让他佳嘴啊——
ガキーン
ビクッ

给我10分钟
就足够了。

※ 日语中“10 分钟”（“十分”じゅっぷん）和“足够”（“充分”じゅうぶん）发音相近。

啊……
啊……啊……
不是吧……这是……
冷笑话？
这合适吗？
现在所有人都在很认真地比赛啊，
不合适吧？
顺便说一句，今天忘记吃早餐了。
超受打击。

※ 日语中“早餐”（“朝食”ちょうしょく）和“超受打击”（ちょーしょっく）发音相近。

呃……呃……
好冷！好冷！
*咔嚓

没错……我们的任务是帮助多米纳
找到宝箱和收集星星。
可现在不得不直接交手了，
算你们倒霉……
接下来，
由我来做你们的对手吧。
!!
你们这种货色……

第84话 马修·班迪德与昆虫魔法使

这个房间怎么这么奇怪!!
所有房间的门都跟这个房间相连，
这里就相当于站台。
能节省时间的奖励关卡吗……
也就是说，接下来要争夺这个房间的使用权……

ズッ
*嗞
モグモグ
*咀嚼
ぴーん
*吓一跳
ぐっ
*赞

我在想啊，
还是先把你们暴揍一顿，
再收集星星比较好。
我会尽量手下留情的。
哦——
还真有两把刷子。

直接冲破了几十堵墙?!

ガシャ ガシャ ガシャ
*咔嚓
朝这边来了!!
*咔嚓
ガシャ
怎么可能……
他们那边安排的应该是非常强大的对手啊!!
音符!
辅助射线领域!!
*咔嚓
ガシャ
而且这座宅邸已经变成了迷宫……
中间隔着好几十堵墙……
*咔嚓
ガシャ
难道……

第三颗星星。
这些考题对我们来说太简单了，
根本没必要拖住他们吧？
就算面对不如自己的对手，我也不会掉以轻心。
呀哈哈哈哈哈!!你这个人就是什么事都要赢!!
你的笑声太粗俗了。
但这就是事实。
这是一场不用比就知道结果的比赛，
不单单是实力差距大，
从根本上就没有可比性。
ガシャ
*咔嚓
刚刚是什么声音？
！
ガシャガシャ
*咔嚓
ガシャガシャ
*咔嚓

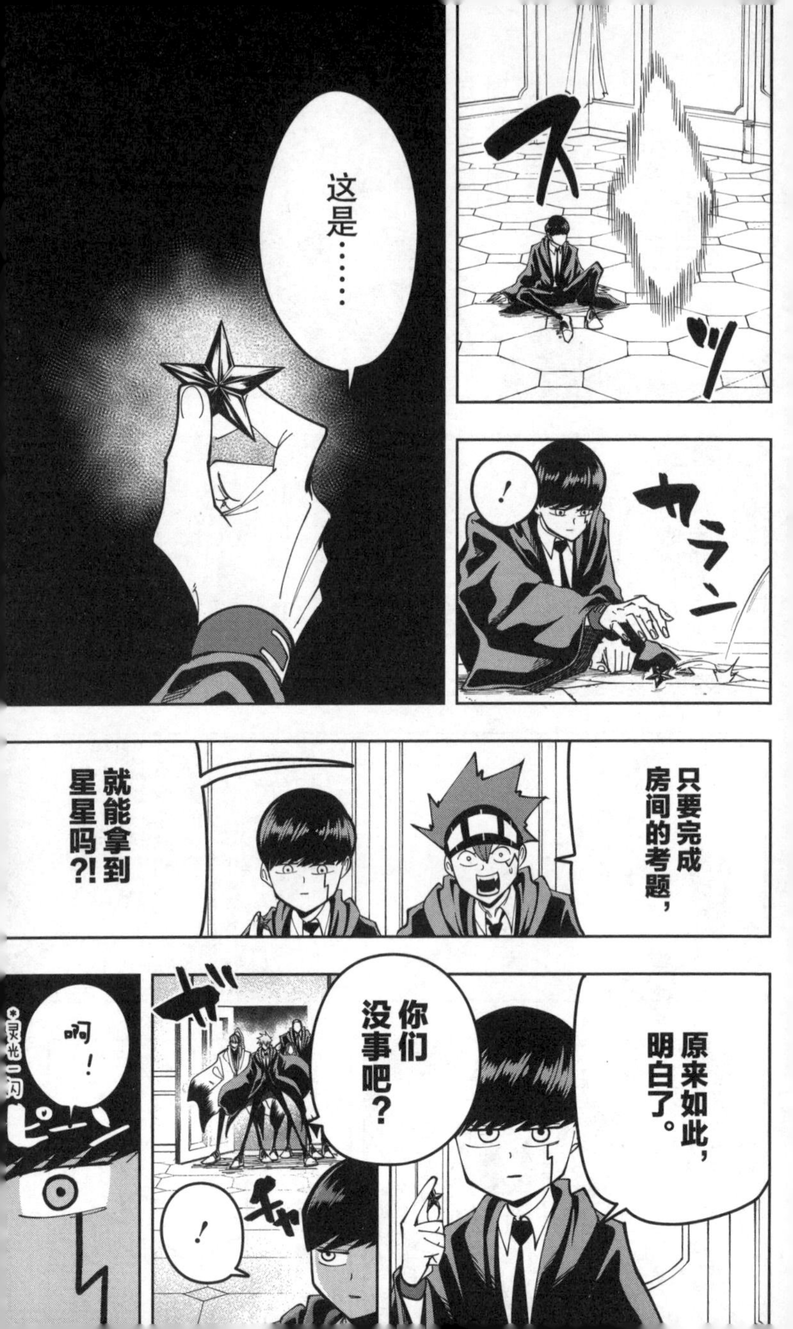
スッ
这是……
！
ヤラン
只要完成房间的考题，
就能拿到星星吗?!
原来如此，明白了。
你们没事吧？
！
啊！
*灵光一闪
ピーン

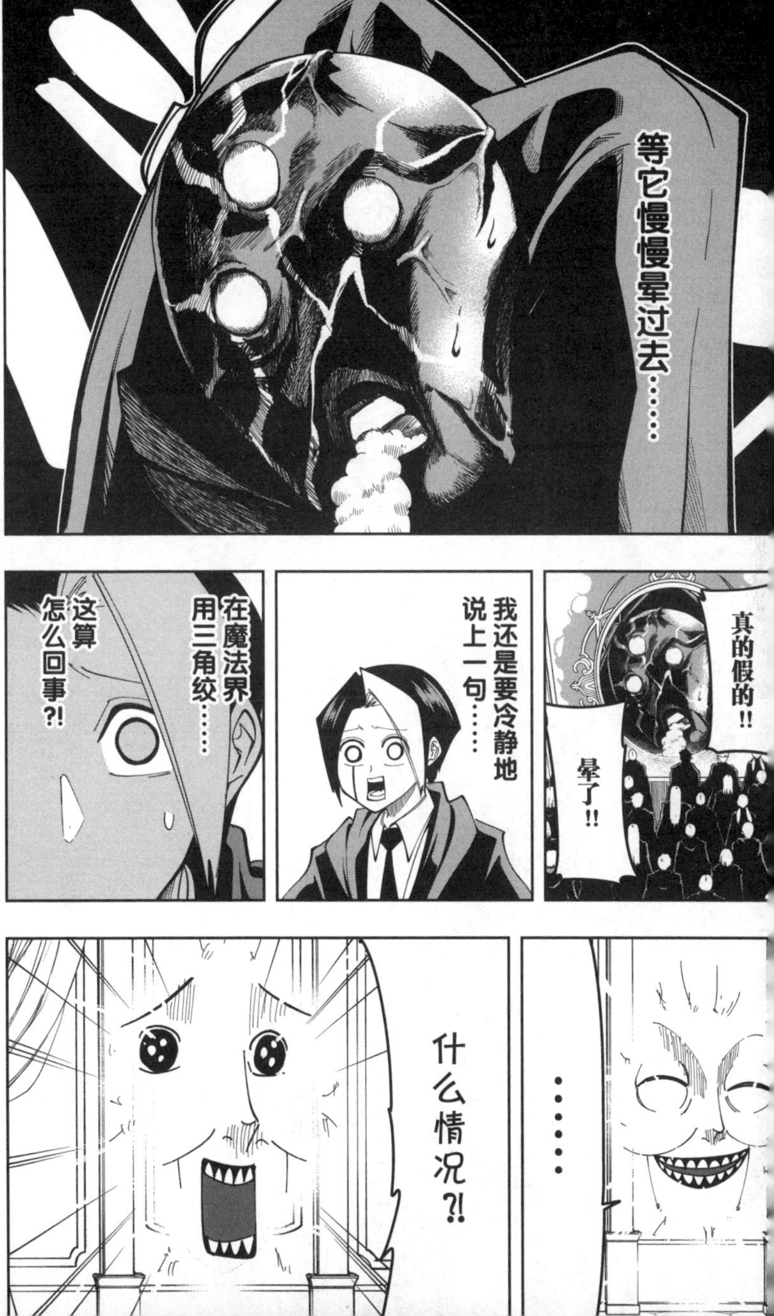

等它慢慢晕过去……
真的假的!!
晕了!!
我还是要冷静地说上一句……
在魔法界用三角绞……
这算怎么回事?!
……
什么情况?!

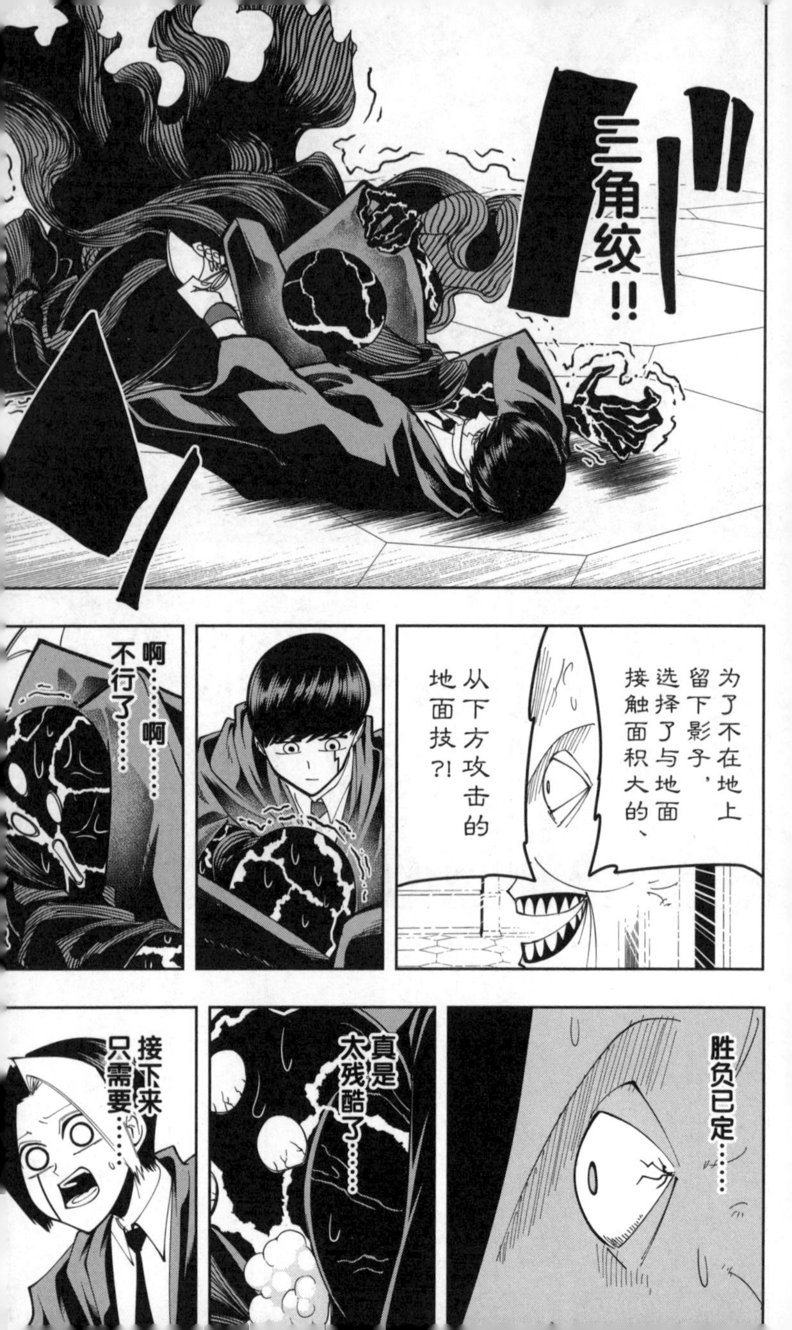
三角绞!!
为了不在地上留下影子，选择了与地面接触面积大的、从下方攻击的地面技?!
啊……啊……不行了……
胜负已定……
真是太残酷了……
接下来只需要……

被拉进了他的封闭式防守里!!
他打算干什么……
拉住了胳膊!!
那是……

但魔物可是飘在半空中的，
趴在地上连碰都碰不到……
！
什么——?!
头转了180度?!
这是想通过吸气把它拽下来?!

!!
用……用趴在地上的姿势盖住影子?!
可是以那个姿势，你自己也动不了……
*唰
匍……
匍匐前进?!

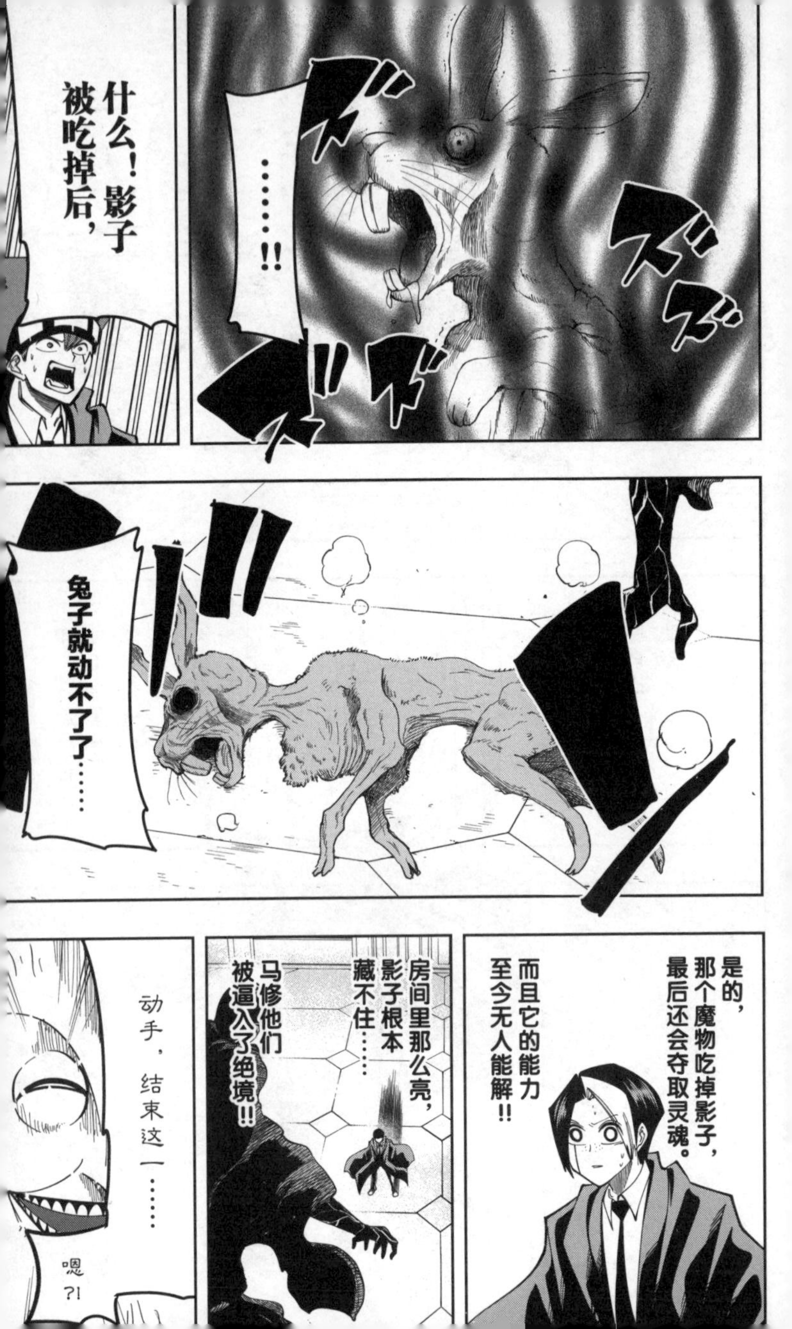

……!!
什么！影子被吃掉后，
兔子就动不了了……
是的，那个魔物吃掉影子，最后还会夺取灵魂。
而且它的能力至今无人能解!!
房间里那么亮，影子根本藏不住……
马修他们被逼入了绝境!!
动手，结束这一……
嗯?!

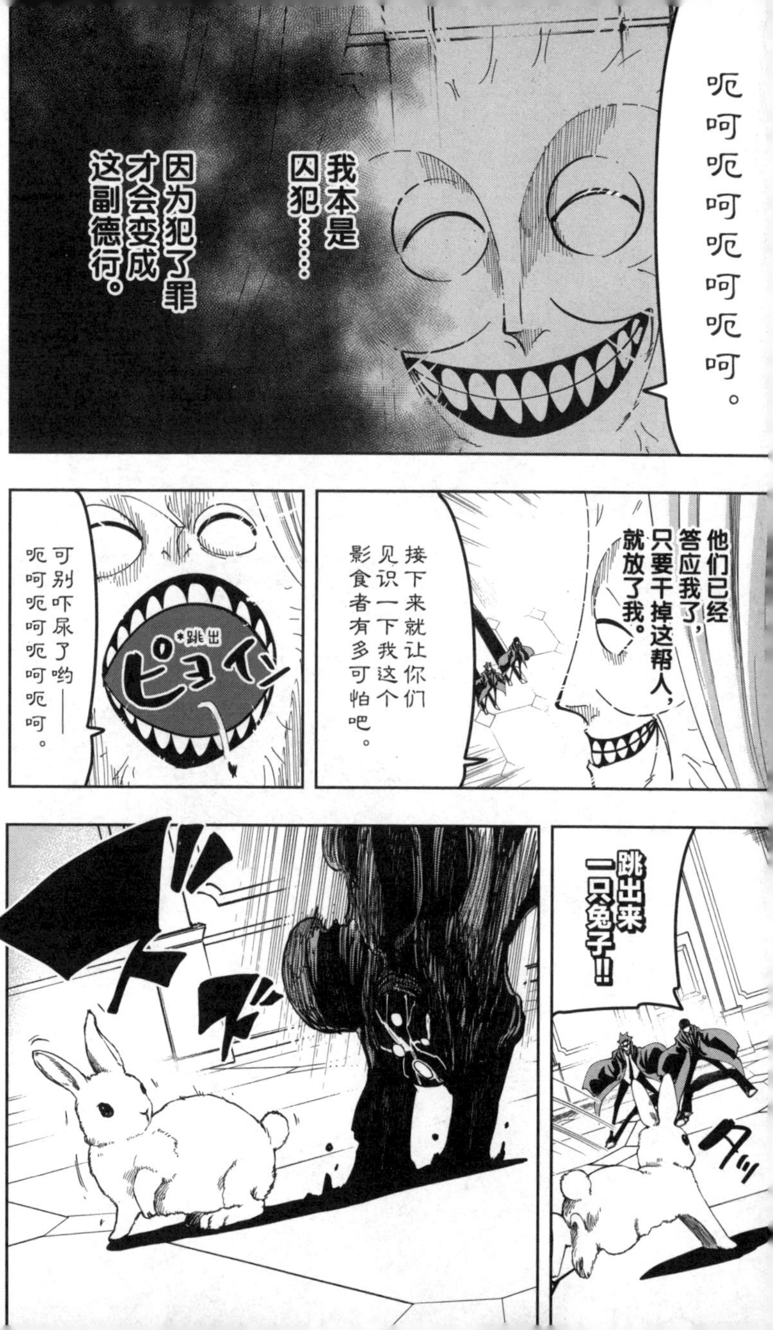
呃呵呃呵呃呵呃呵。
我本是囚犯……
因为犯了罪才会变成这副德行。
他们已经答应我了，只要干掉这帮人，就放了我。
接下来就让你们见识一下我这个影食者有多可怕吧。
可别吓尿了哟——呃呵呃呵呃呵呃呵。
ピョイン
*跳出
跳出来一只兔子!!
タッ

利夫·洛斯库沃斯……
应该差不多了……
我通过魔法局的关系，给那些家伙准备了特别难的考题。
虽然不愿意依仗臭老头儿的权力，但为了赢，我会不择手段。
你们连我们的面都见不到就会被淘汰。
那个太可怕了!!

ドド
这是啥……
呜哇——
什么?!
那是影食者!!
那宅邸里居然有这么危险的魔物……
……
考题的难易度很明显跟去年不同，
多半是魔法局局长的儿子搞的鬼……

怎么了?!这个房间怎么那么亮?
欢迎光临，
!
我是这个房间的主人——
主山主雄。
墙开口说话了!!
马上接受我的考验吧。

欸？
是星星。
追啊——!!
啊!!
进房间了!!
*咔嚓
*发光

嘿哟！
嘿哟！
宅邸寻宝……这种类型的任务，魔法杖大多会放在房间的最深处……
走廊在动!!
整个宅邸变成了大型迷宫吗?!
啊！
呆
ザザザ
ズ
啊吧吧吧吧……
！

而打开宝箱
并手持起源之杖的人，
就是今年的『神觉者』。
嗯嗯……原来如此……也就是说……
收集星星打开箱子就行了。
人家就是这么说的啊。
需要提醒各位考生的是，
这座宅邸被施加了各种各样的诅咒，所以还请多加小心!!
那我们废话不多说，
考试开始!!

*嘀嘀咕咕
ゴニョゴニョ
嗯，嗯，
他说你这个人一看就没朋友。
?!
*议论纷纷
ざわ
马修……
……
规则很简单，
收集5枚散落在宅邸内的星形钥匙，
然后用钥匙打开宝箱即可!!

前情提要：马修等人来到了『神觉者』最终考试的现场——
格瑞夫宅邸!!
实力的差距，
还真是一目了然呢。
这样根本就是欺凌弱小嘛。
不过我可不会手下留情哟！

第83话 马修·班迪德与影食者

目录

雷蒙·欧文

在插班考试时为马修所救，因此喜欢马修。

达特·巴雷特

为人耿直，很吵。因为不受女生欢迎而嫉妒帅哥。

“纯粹的根源”

活跃在地下的暗魔法组织的首领。使用时间魔法。

沃尔伯格校长

魔法学校的校长。认同马修，对他充满期待。

利夫·洛斯库沃斯

魔法局局长的儿子，前伊斯顿学生。性格残暴。

多米纳·布罗利夫

“纯粹的根源”之子，一直渴望得到父亲的认可。

前情提要

这里是人人会用魔法、魔法的优劣决定一切的魔法界。每天锻炼肌肉的勇猛少年马修身上隐藏着一个秘密，那就是完全不会使用魔法。在魔法界，不会使用魔法的人会被消灭。马修为了重新过上平静的日子，决定进入魔法学校拿到“神觉者”称号!! 凭借着异于常人的肌肉，马修处处凌驾于魔法之上，终于站在了“神觉者”候补选拔考试的考场上!! 在“神觉者”最终考试之前，有一场由“神觉者”进行考核的口试。沃特出现在马修面前，用卑劣的手段阻止其通过考试。最终因为“神觉者”雷纳特斯的介入，事态才得以平息。雷纳特斯告诉马修，“纯粹的根源”之子多米纳就在参加最终考试的三魔校之一瓦尔吉斯魔学校。多米纳突袭了圣·亚尔斯圣魔学校的“神觉者”候选人，并将其全灭。多米纳使用卑劣的手段抢夺走了考试名额。马修等人所在的伊斯顿魔法学校陷入极其不利的情况，但马修曾经的劲敌阿贝尔等人突然前来援助！最终考试定为两校之间的6对6比拼，决定命运的日子终于到来……

人物简介

马修·班迪德

不会使用魔法的稀有少年。用千锤百炼的肌肉粉碎所有魔法。缺乏常识，经常把事情搞砸。对家人和朋友很好，是个老实的乖孩子。最喜欢吃奶油泡芙。进门的时候分不清该推还是拉。

兰斯·库朗

插班考试第一名。有实力的帅哥。溺爱妹妹，十足的妹控。

芬·埃姆斯

马修的室友。负责吐槽。是马修的第一个朋友。

物理魔法使马修

MASHLE

[日] 甲本 一 绘著

HAJIME KOMOTO

10

马修·班迪德
与磁石铠甲

湖南文艺出版社
HUNAN LITERATURE AND ART PUBLISHING HOUSE
博集天卷
CS-BOOKY

甲本一